MISSIONARY GUIDE • 선교사 가이드 • VODIČ ZA MISIONARE

• ΙΕΡΑΠΟΣΤΟΛΙΚΟΣ ΟΔΗΓΟΣ

GUÍA MISIONERA

DR. LUIS RODRÍGUEZ

傳教士指南 • GUIDE MISSIONNAIRE

• GABAY SA MISYONARYO • الدليل التبشيري • 宣教師ガイド •

En las Misiones No Existen Fronteras...

EDICIÓN BILINGÜE

GUÍA MISIONERA
Fundación Doctor Luis Rodríguez & Asociados, Inc.
Primera Edición Bilingüe
Editorial RadiKal - 2020
www.editorialradikal.com
info@editorialradikal.com
Canóvanas, Puerto Rico

Diseño Interior: Janeza Pérez
Diseño de Cubierta: EDITORIAL CÓDIGO ÍNTIMO
Cel. 787-617-9123
www.editorialcodigointimo2018@gmail.com
Fayetteville, North Carolina

Las citas bíblicas señaladas, se tomaron de la Santa Biblia versión Reina-Valera 1960. Cuando se utiliza otra versión, se identifica inmediatamente después del pasaje citado.

Si deseas contactar al autor:
www.mision206.org
email: doctorluisrodriguez@gmail.com

ISBN: 978-1-7343177-0-1
Categoría: Misionología
Impreso en los Estados Unidos

Presenta:

Guía Misionera

En las Misiones No Existen Fronteras

Editorial Código Íntimo

Código íntimo es una editorial independiente creada en el año 2018. La editorial nace debido a la necesidad de nuestros hermanos en la fe, cuyos deseos de encontrar los mejores precios para poder fabricar sus proyectos, sus esfuerzos fueron infructuosos debido ha que no podían sufragar los altos costos de las cotizaciones que les fueron entregadas. Viendo a muchos amigos, conocidos y desconocidos comentar de dichas frustraciones y necesitando la oportunidad de que alguien pudiera ayudarlos a crear sus proyectos o manuscristos que tanto desean, nace la editorial código íntimo. Nosotros queremos ayudarte a ver tu sueño hecho realidad.

En código íntimo y su equipo de trabajo nos comprometemos en hacer de tu manuscrito toda una obra completa al gusto del autor. Realizamos tu libro por un precio muy accesible dentro del prespupuesto para cualquier persona trabajadora, por ende tú que me lees, si deseas o estas buscando quien realice tu libro, en código íntimo puedes confiar. Trabajamos con esmero, empeño, entusiamo, y dedicación. En la editorial código íntimo trabajamos todo lo que es diseño gráfico, diseño interior, edición, elaboración de texto, maquetación, entre otros, nosotros hacemos todo para que tu libro sEA tU sUEño hECHO uNA rEALIDAd.

De necesitar información adicional me puede contactar al número de contacto ubicado en la página de los créditos y en nuestra página de facebook y con mucho gusto le responderé.

Cordialmente:

Janeza Pérez
Administradora

Contenido

Dedicatoria

Dedico este trabajo a todos los que queriendo ser discípulos de Jesús se olvidaron de su propia voluntad y estuvieron dispuestos a morir por hacer lo que él les dijo (Marcos 8:34-35). A esos que trastornaron al mundo con una abnegación real, porque todos los verdaderos mártires son revolucionarios; pero no todos los revolucionarios son verdaderamente mártires.

A esos que fueron verdaderos, a ellos que eligieron la muerte en lugar de negarlo... que eligieron la fe en lugar del temor... y eligieron ser testigos en lugar de esconderse. A todos los que el mundo no merecía (Hebreos 11:38). A esos caídos sin perder su integridad, hombres y mujeres de una sola pieza; dedico esta guía.

Dentro de este amplio mundo de los héroes de la fe no puedo dejar de resaltar en este primer trabajo literario a un héroe del evangelio que muy pocos conocen, pero impacto mi mundo y eso es suficiente. Un hombre que repetidas veces me dijo: "Si eres responsable con Dios, se responsable con lo demás y serás ejemplo en todo". Al primer maestro de escuela bíblica del que tengo memoria dedico estas letras. A ese hombre que pocas horas durmió para proveerme del sustento diario para que pudiera convertirme en el hombre que hoy usted conoce. A un héroe que entre acordes de guitara me enseñara a sostener el tono y con quien cantara aquellos primeros dúos por largas horas. A ese hombre que evangelizo mi corazón con su ejemplo y dedicación. Un héroe anónimo para miles pero que me impulso para que otros miles conocieran a Jesús a través de un ministerio que no pedí y menos merecía. A un hombre ordinario escogido por un Dios extraordinario para bendecir mi vida cada vez que le llamo papá, a ti Sergio Rodríguez Ortiz, que me dijiste que lo podía alcanzar; dedico este logro para que lo guardes en tu memoria hasta el día en que no puedas recordar mi nombre o pronunciar palabra alguna.

A ti papá dedico este logro... TE AMO y sé que me amas porque tus ojos me lo gritan.

Rvdo. Luis Rodríguez, Ph.D.

MÁR.TIR

(mártir), es la palabra griega que significa "testigo".

1. Uno que escoge la muerte en vez de negar a Jesucristo o su obra.
2. Uno que da testimonio de la verdad que ha visto, o conoce o ha escuchado, como lo hace un testigo ante un tribunal de justicia.
3. Uno que sacrifica algo de mucha importancia por el avance del reino de Dios.
4. Uno que soporta sufrimiento constante o severo por causa del testimonio cristiano.
5. Uno que *preservó* su fe, creyendo que no sería en vano.

Se dice que hoy día hay más mártires cristianos que en el año 100 d.C. en los días del Imperio Romano. De acuerdo con un estudio realizado en la Universidad Regent, en el año 1999 fueron martirizados 164,000 creyentes alrededor del mundo. Se estima que serán martirizados 194,000 al terminar el año 2020.

Este es el final, para mí el comienzo de la vida eterna.

Dietrich Bonhoeffer
Colgado en la horca
en Alemania, 1945

El día que Patrick Hamilton fue quemado en la hoguera, alguien se atrevió a decirle a sus perseguidores: "Si van a continuar quemando a cristianos, es mejor que lo hagan en un sótano, porque el humo de las llamas que consumieron a Hamilton ha servido para abrirle los ojos a centenares". Aquellos marcados por Jesús aprovechan al máximo cada oportunidad para hablar de su *redentor*. Hamilton predicó en las calles, la cárcel y hasta en la hoguera.

¿Hace usted que cada oportunidad cuente para la eternidad?

A través de la historia, son muchos los que han muerto para que usted pueda experimentar la fe y las libertades que hoy disfruta. Usted también puede decidir permanecer firme en su fe. Dios le ha de honrar, y logrará hacer que las cosas sean diferentes en el mundo que le rodea.

Prólogo

¿Cuántas veces tuviste la oportunidad de haber leído una Guía Misionera que fuera simple y funcional? En hora buena, Luis Rodríguez redactó este contenido conociendo la necesidad de contar con una estructura responsable al momento de comenzar una aventura misionera. Este material no pretende proveer respuestas a todas las interrogantes existentes, el fin es más general con sugerencias prácticas para el misionero con poca experiencia, pero lleno de entusiasmo y pasión.

Este libro fue diseñado fundamentalmente como una guía. La verdad es que hoy día se elaboran muchísimos manuales y sobre una temática muy variada. El presente trabajo es una guía muy concisa para utilizar como una herramienta más en el día a día de cualquier equipo de trabajo misionero. Inicialmente la creación de este material fue como respuesta a una necesidad propia de mantener una imagen que complementara con la apariencia real de un orden bien estructurado en la realización de las labores misioneras. La primera ocasión que se utilizó fue en una misión a desarrollarse en Argentina y la aceptación del material fue inmediata. Desde entonces, este mismo manual nos ha acompañado a muchísimas decenas de viajes; convirtiéndose en una herramienta de trabajo imprescindible para la Fundación Doctor Luis Rodríguez & Asociados, utilizándose en conferencias con grupos grandes y pequeños.

Debo añadir que este material previo a su publicación comercial fue utilizado como libro de texto en institutos, seminarios bíblicos y cursos cerrados de iglesias en varios continentes siendo Puerto Rico la plataforma de lanzamiento. Como una organización con dieciséis años realizando proyectos misioneros, nos llena de satisfacción este trabajo en particular pues entendemos que logró su propósito. Si en los años venideros continúa siendo un instrumento útil en las áreas ya mencionadas, así como en la vida ministerial de líderes y misioneros que la utilicen; habrá alcanzado la totalidad de los objetivos para los que se diseñó esta guía. De cualquier forma, que se utilice este manual, será de gran ayuda en la determinación de su preparación ministerial, útil para descubrir problemas que quizá ya existan y les proveerá soluciones a inquietudes sin resolver.

Misionero lector, anhelo que este manual sea no solo de edificación a tu grupo, sino que a su vez la información provista en las páginas de este escrito sirva para que tu misión sea un éxito. De ninguna manera se pretende creer que ésta es la mejor de las guías misioneras que existe, pero sí se espera que facilite el engranaje de la aventura misionera que está por llegar.

¿Qué es un misionero?

Es el misionero un ser extraño
Que se encuentra al borde de la extinción
Y si hoy no tomamos pronta acción
Serán menos los que viajen cada año

Siempre vive del todo desprendido
Realizando cada acto con devoción
Proclamando por doquiera la comisión
Ayudando al hermano y también al amigo

Sin motivos brinda amor al extranjero
Siempre extiende una mano al caído
No importando si le es poco conocido
Se convierte del Señor en mensajero

Por la obra vive siempre apasionado
Sin estudios se convierte en consejero
Sus acciones ponen siempre a Dios primero
Y se encuentra del llamado enamorado

Al exponer tiene un gusto poco extraño
No le gusta predicar en catedral
Ni en grandes templos con paredes de cristal
Pero ama entremezclarse en el rebaño

Prefiere iglesias donde la tierra es el suelo
Con troncos de árbol como columnas hermosas
Allí declama la palabra como porosas
Elevando adoración al Dios del Alto Cielo

Ha degustado alimentos algo extraños
Al usar el baño ha perdido su pudor
Enfrentando fuerte frío y gran calor
Y aun así piensa en volver el otro año

Va esparciendo la semilla con amor
Aunque sabe que le espera lucha fuerte
De ser necesario enfrentará la misma muerte
Pero siempre estará listo a partir con su Creador

La palabra misionero no aparece en la Escritura
Sin embargo, en estas líneas yo me atrevo a disentir
Declarando firmemente y nadie podrá discutir
Que el llamado a las misiones es uno de gran altura.

Autor: Misionero Ramos
Compañero del camino

Citas célebres misioneras

- "Dios, cuenta conmigo; no hagas nada sin mí", -Yadiel S. Calderón Rodríguez
- "No existe ningún país cerrado, siempre y cuando se esté dispuesto de entrar y no regresar". -*Hermano Andrés*
- "Usted debe ir al campo misionero o enviar a un sustituto". -*Oswald Smith*
- "Espera grandes cosas de Dios, cuando emprendas grandes cosas por Él". -*W. Carey*
- "Id significa un cambio de ubicación". -*Loren Cunnigham*
- "La voluntad de Dios no te llevará donde su gracia no te pueda sostener". -*Jim Elliot*
- "Si Dios quiere evangelizar al mundo, y usted se niega a apoyar a las misiones, se opone a la obra de Dios". -*Oswald Smith.*
- "Cuando llegamos aquí en 1848 no había ningún cristiano, cuando salimos no había ningún inconverso". -*Jhpm Geddie*
- "Si Jesucristo es Dios y murió por mí, ningún sacrificio que yo haga por él será demasiado grande". -*Carlos T. Studd*
- "Contribuye según tus ingresos, no sea que Dios ponga tus ingresos al nivel de tus contribuciones". -*Anónimo*
- "La iglesia que deja de ser evangelizadora en breve deja de ser evangélica". -*A. Duff*
- "La cuestión no es cuánto de mi dinero daré para Dios, sino cuánto del dinero de Dios reservaré para mí". -*Anónimo*
- "La tarea suprema de la iglesia es la evangelización del Mundo". -*Oswald Smith.*
- "El único propósito de usted en la tierra es salvar almas". - *Juan Wesley*

- "El mejor remedio para una iglesia enferma es ponerla a dieta misionera". -*Anónimo*

- "Mi deber es proclamar el mensaje, sin importar las consecuencias personales para mí mismo". -*Conde Nicolas Von Zinzedorf*

- "Declaro, ahora que estoy muriendo, que no gastaría mi vida de otro modo que no sea a cambio del mundo entero". -*David Brainerd*

- "Mi congregación es el mundo". -*Juan Wesley*

- "Nosotros hablamos de la segunda venida; mientras que la mitad del mundo nunca ha escuchado de la primera". -*Oswald Smith*

- "Dios cuenta contigo y quiere que tú marques la historia", -Dr. Alexis Santiago Nieves

"Tengo que saberlo"

ALGUNOS CRISTIANOS NI SIQUIERA HAN INTENTADO PENSAR SI MORIRÁN O NO POR JESÚS, PORQUE EN REALIDAD AÚN NO HAN COMENZADO A VIVIR POR ÉL.

THOMAS HAUKER
INGLATERRA, AÑO 1555.

-Thomas- dijo su amigo de la prisión bajando la voz para no ser escuchado por el guardia-. Tengo que pedirte un último favor. Debo saber si lo que tú y los demás dicen sobre la Gracia de Dios es cierto. Mañana, cuando te quemen en la hoguera, si el dolor es tolerable y en tu mente aún hay paz, levanta las manos en alto sobre tu cabeza. Hazlo antes de morir... y así sabré que debo entregar mi vida a Jesús. Thomás tengo que saberlo.

Thomas Hauker le dijo en un susurro a su amigo: lo haré. A la mañana siguiente, ataron a Hauker al poste en la hoguera, entonces prendieron el fuego, mismo que estuvo ardiendo mucho tiempo, pero Hauker permaneció inmóvil y en silencio. El humo llevaba hasta la prisión la mezcla de los olores de la madera, las sogas y la piel quemada hasta el punto de tostarse por completo. El fuego devoraba todo lo que encontraba y en este punto ya Hauker no tenía dedos en las manos. Todos observaban el macabro espectáculo, creyendo que estaba muerto. De pronto de manera inesperada, Hauker levantó las manos al único y verdadero Dios viviente, aún abrazado por las intensas llamas y entonces con gran regocijo gritó: "no duele", entonces aplaudió tres veces y murió.

Los que estaban presentes irrumpieron en gritos de adoración y aplausos. El prisionero inconverso amigo de Thomas Hauker había recibido su respuesta y por consecuencia postrado en el suelo entregaba su vida a Cristo el día de la muerte de un mártir.

Bástate mi gracia; porque mi poder se perfecciona en la debilidad. Por tanto, de buena gana me gloriaré más bien en mis debilidades, para que repose sobre mí el poder de Cristo. Por lo cual, por amor a Cristo me gozo en las debilidades, en afrentas, en necesidades, en persecuciones, en angustias; porque cuando soy débil, entonces soy fuerte.

Apóstol Saulius Pabilius
Martirizado en Roma año 65 d.C.
2 Corintios 12:9-10

Algunos consejos prácticos:

1. Proveer un número telefónico en el campo para algún caso de emergencia, *no* siempre es lo adecuado. Esta es una complicada decisión del líder, debido a las múltiples variantes que esto supone.

2. Lleve lo menos posible en su equipaje, piense en lo esencial y necesario. Una maleta y un bulto de mano es lo recomendable. Opcional en cada viaje. A todo participante de una experiencia misionera se le aconseja llevar una maleta adicional llena de ropa nueva o en buenas condiciones para obsequiar. No sugerimos zapatos a menos que éstos sean de goma y muy livianos para transportar.

3. Lleve suficiente repelente de mosquito "*OFF* ", toallas húmedas desechables, Tylenol, Pepto-Bismol y otros medicamentos generales de su uso personal.

4. *Cuidado* al hablar frente a los locales:

- No compare las cosas que vea con su país, *aunque lo piense, no lo comente.* No invite a nadie a visitar su país, no de dinero a nadie. Cualquier aportación se otorgará entre todos al final; no hable de política, ni de finanzas, si hablan, cambie usted la conversación. Sea precavido al ofrecer su número de celular. Preferiblemente tenga a la mano su dirección postal o de la iglesia. Si lo desea, provea su dirección de correo electrónico y/o dirección de Facebook, entre otras opciones. No regale ninguna de sus pertenencias sin consultar con el líder de grupo para que este consulte con el pastor anfitrión o determine cuál será la acción correcta.

- No haga gestos o comentarios que puedan ofender a nuestros hermanos nacionales. ¡Mucho *cuidado!*

5. Cuidado con las actitudes. En este trabajo que hacemos para Dios el enemigo siempre buscará la forma de estorbar. *Un terreno fértil para estos son las actitudes.* Aunque nos conozcamos, nunca hemos vivido juntos por varios días y menos hemos realizado este tipo de trabajo. Pueden surgir inconvenientes que nos incomoden o afecten, ya que no estamos acostumbrados; además toda empresa misionera representa una gran lucha espiritual.

6. Como política de prevención y cuidado, será elección del líder colocar o no a los matrimonios en la misma habitación. En cada viaje todos varones y femeninas dormirán por separado, siempre que las condiciones lo permitan.

Modelo sugerido

Considere de mucha *importancia* la planificación previa de toda acción en el campo, sin perder la capacidad de ser flexible ante la intervención de lo inesperado como lo sobrenatural. Desarrolle la logística de su equipo de trabajo y provea el espacio para informar la programación del viaje.

Programación sujeta a múltiples variantes

Itinerario: 1-14 de enero 2080 Misión: Nigeria, África

Domingo ______________________________

____

____

Lunes ______________________________

____

____

Martes ______________________________

____

____

Miércoles ______________________________

____

____

Itinerario: 1-14 DE ENERO 2080 **Misión:** Nigeria, África

Jueves ________________________________

____

____

Viernes ________________________________

____

____

Sábado ________________________________

____

____

Domingo ________________________________

____

____

Lunes ________________________________

____

____

Martes ________________________________

____

____

Itinerario: 1-14 DE ENERO 2080 **Misión:** Nigeria, África

Miércoles____

____

____

Jueves____

____

____

Viernes ____

____

____

Sábado____

____

____

Finalmente, el triste regreso; importante presentarse al aeropuerto tres (3) horas antes de la hora de abordaje en especial en vuelos internacionales. Se encontrarán pronto con la angustiosa y afanada vida real de todos los días. Aunque es importante no olvidar que el verdadero viaje misionero comienza a tu regreso (2 Corintios 2:11). Mantente firme y pronto llegará la nueva aventura misionera.

La clave de éxito estará en:

- Mantener un buen control de nuestras actitudes.
- Ser pacientes y considerados con los demás. Tomar en cuenta que, de ser un grupo grande, nos tomamos más tiempo de lo normal para algunas cosas (aseo, comer, etc.).
- Hacer buen uso del tiempo y ser puntuales en el horario establecido.
- Nunca separarse del grupo sin notificarlo al líder, no importa la edad que usted tenga.
- Mantener una íntima comunión con Dios en todo momento.

Los feligreses o pastores anfitriones se esmerarán por servir. No obstante, atender a un grupo de personas representa un gran trabajo para ellos. Si se es responsable con la programación y puntualidad, esto ayudará a que no pasen trabajo innecesariamente. La formalidad debe prevalecer aun cuando ellos sean informales o impuntuales. Siempre será mejor que el equipo esté listo y no que los anfitriones tengan que esperar.

- Que tu propósito primordial sea realizar un trabajo con entrega, pasión y excelencia, porque lo harás para el Señor y no para los hombres.

Vacunación Obligatoria:

Existen países donde es un requerimiento imprescindible recibir determinadas vacunas para poder entrar al país. La más común de estas es: *Fiebre Amarilla,* esta se administra junto a un certificado de validez internacional, actualmente su duración es de por vida. Existen otras vacunas como la *Meningitis Tetravalente*, o en el caso de la *Malaria,* se debe ingerir la pastilla *Quimioprofilaxis* diariamente un día antes del viaje, durante el viaje y siete días después de terminado el recorrido.

Es necesario aclarar que existen muchos países tanto en Centro América como en Sur América que *no* requieren vacunas para ingresar al país, aunque son localidades propensas al contagio de enfermedades que requieren inmunización. Ante esta realidad es responsabilidad de cada individuo el decidir vacunarse o arriesgarse a la aventura.

Reconozco, como un hecho muy lamentable el que la mayoría de las estructuras misioneras que conozco *no* le dediquen atención a un dato tan relevante como este para la salud de todo misionero.

¿Qué necesito?

La siguiente tabla ofrece de manera simple lo que se requiere para hacer un equipaje adecuado para la mayoría de las circunstancias, ya sea el caso de una femenina o un varón. Las cantidades están señaladas de manera superficial para que sea de mayor conveniencia el escribir sobre la información sugerida.

CANTIDAD	ARTÍCULO	ARTÍCULO	CANTIDAD
2/3	Mahones (pantalones o faldas)	Toallas sanitarias	2 pqts.
1	Pantalón negro (1 Chaqueta)	Crema humectante	1
4/5	Polos	Shampoo	1
10	Camisetas o camisillas	Acondicionador	1
1	Zapatos negros *no* nuevos	Pinches (hebillas) de cabello	¿?
1	Tenis o mocasines cómodos *no* nuevos	Juego de cama: 1 Plaza (sabana, fitter, funda para almohada)	1
1	Chancletas	Corta uñas	1
1	Pantalón corto	Falda negra	1
2	Pijamas cubridoras	Libreta	1
2	Correas	Biblia	1
20	Ropa interior	Bolígrafo	1
¿?	Medias de vestir (a discreción)	Reloj casual / sport	2
¿?	Medias casuales (a discreción)	Repelente para mosquitos (OFF)	1
1	Perfume (AXE) / Splash	Bloqueador Solar 100%	1
1	Febreeze	Espejo portátil: podría no haber disponible	1
1	Desodorante		

1	Cera o Gel para el cabello		
2 pqts.	Toallas humedecidas (wipes)		
1	Cepillo dental		
1	Jabonera		
1	Jabón		
1	Toalla (pequeñas)	Nota Importante:	
1 pqt.	Navajas de afeitar	Abrigo	1
1	crema de afeitar	Almohada	1
1	Lavado en seco	Leggins	2
1	Humectante labial		
1 pqt.	Palillos de orejas (Q-Tips)		
2	Fundas para la ropa usada	Documentos:	
	Papel sanitario o papel toalla (deshojado)	Licencia de conducir o tarjeta de pasaporte	Copia
	Bulto pequeño adicional	Certificado de nacimiento	Copia
	Linterna	Pasaporte	Original y Copia
	Cámara		
	Baterias (a discreción)		
	Cepillo para el cabello	Medicamento:	
		Imodium, Cloraseptic, Panadol, Midol, Zantac o cualquier otro que estés utilizando al momento de la salida	

Notas importantes:

Antes de viajar, consulta a tu banco y así evitaras malas sorpresas durante o después del viaje. Pregunta a la entidad financiera la comisión que aplicará al utilizar la tarjeta en el extranjero. Anota el número donde debes llamar en caso de cualquier incidencia que debas reportar.

Utiliza tu memoria y no anotes el PIN de la tarjeta en ningún lugar y jamás te distraigas. En el caso de pagar con tarjeta en un comercio, un restaurante u otro sitio, no pierdas de vista tu tarjeta en ningún momento.

Tal vez pienses que no necesitas este consejo. Pero analiza. Si fueras víctima de un robo o un accidente donde estravies tu dinero, necesitaras haber realizado estos pasos con tu institución financiera para resolver cualquier imprevisto recurriendo a una linea de crédito o débito. Entonces me agradeceras haber seguido estas indicaciones.

Llevar ropa cómoda para la mayor parte del tiempo, entiéndase: mahones, camisas de mangas cortas y/o T-Shirts. *No* camisillas. Llevar al menos dos mudas de ropa formal. *Evitar el uso innecesario de prendas.* Lleve solamente un reloj del que se pueda desprender con facilidad.

Enfatizo una vez más en evitar conversaciones de política, religión y/o cosa semejante. Mantén copia del pasaporte en algún lugar seguro del equipaje o *memorízalo* y al menos que se indique lo contrario, llévalo *siempre* contigo. Deja una copia con un familiar en cada ocasión que viajes.

Al estar en la calle *no* descuides tus pertenencias ni tu persona. Mantente siempre *alerta.*

Si no es necesario mencionar el lugar de procedencia *no* lo hagas. Por seguridad general identifícate como puertorriqueño y no como americano, según el lugar donde te encuentres.

Toda pertenencia que lleves contigo, ten siempre presente que deberás compartirla con tu compañero de misiones de ser necesario. Si fuera al contrario entonces recuerda siempre indicar que necesitas algo de tu compañero.

No consumas ningún alimento o bebida, a no ser con la autorización del líder. Así evitarás enfermedades y/o bacterias en tu cuerpo que no deseas.

De llevar equipo eléctrico deberá tener un convertidor de corriente con adaptación europea, según la regulación eléctrica del país que visites.

IMPORTANTE: Será una decisión de cada integrante de la *misión* portar su celular en el recorrido de la labor misionera, Si así lo decides, entonces se muy precavido; evita ser víctima del crimen. Lleva contigo (escrito *no* en la memoria del celular) los números telefónicos de importancia en caso de emergencia. ¡Espera! se prudente; se proveerá el tiempo y el espacio para realizar llamadas a tu hogar.

La concentración primordial de la misión son las almas no debes desenfocarte del objetivo por *Twitter*, *Facebook*, *Youtube* o *WhatsApp* entre otros. Te recuerdo que hacer misiones es salir del entorno que te rodeaba; padre, madre, hermanos y amigos para hacer la voluntad del *Creador*. Ya tendrás el tiempo suficiente de contar tus experiencias a cada uno de ellos al regresar.

Todas las Aduanas tienen requerimientos de ley diferentes, oriéntate previo al viaje de la misión de esta manera evitarás requisas innecesarias por mercancía prohibida.

Ejercicio práctico

Instrucciones; contesta en forma breve las siguientes preguntas con la primera respuesta que te viene a la mente. Luego se discutirá con el grupo de trabajo.

1. ¿Qué te motiva a participar en este viaje misionero?

2. ¿Qué esperas aprender o recibir de esta experiencia?

A nivel administrativo considero que es la parte más importante de todo viaje misionero, la transparencia en las finanzas será una parte imprescindible del éxito de la misión cuando esta termine, debido a que evitará las malas referencias de aquellas decisiones sobre el fondo recaudado.

Planificación del presupuesto general:

Coordinador:

A. Ciudad y país por visitar: ______________________

B. Fecha: ________________

C. Líder de Viaje: __________ Co-líder: ____________

D. Propósito del Viaje: Educar, Proveer ayuda comunitaria y Evangelizar

E. Expectativa: Transformar vidas para que nuestras vidas sean transformadas.

F. Itinerario de Viaje: Disponible

A. Finanzas para el viaje:

1. Pasaje más impuesto $ ________ ...... P/P
2. Visa de entrada y/o salida del país $ ________ ... ...P/P
3. Gastos de Equipaje $ ________ ... ...P/P
4. Costo estimado de hospedaje $ ________ ...... P/P
5. Transportación terrestre $ ________ ...... P/P
6. Gastos de coordinación de viaje $ ________ ...... P/P
7. Fondo de emergencia y otros $ ________ ...... P/P
8. Vacunación Fiebre Amarilla / Malaria $ ________ ...... P/P
9. Ofrendas para anfitrión local $ ________ ...... P/P
10. Comida-Alimentación $ ________ ...... P/P

Costo Preliminar Por Persona $ ________

B. Fondo adicional: museo, alguna atracción, entre otros $ ________ ...... P/P

C. Costo Total $ ________ ...... P/P

CONSEJOS MISIONEROS:

- Pastor Luis Rodríguez; Director Ejecutivo, Fundación Dr. Luis Rodríguez & Asociados "*Cada viaje es una experiencia única. Debes aprovechar al máximo esta mini cruzada misionera porque jamás regresarás igual de esta gran aventura*".

- Misionero David de la Rosa; ministro destacado en Rusia y Mongolia. "*No le conozco, pero sí conozco el gran desempeño del Dios que predicamos, por esto tengo la seguridad de que la tierra que usted pise será marcada por su testimonio y acción misionera*".

- Pastor Rafael Berrios; pasado director internacional de misiones en el MIDIDFC. "*Las misiones nacieron en el corazón de Dios y ahora nacerán en tú corazón. Abandónate en la voluntad del Poderoso y te llevará a* países en los que no has soñado jamás estar".

- Misionera Yelissa López; "*confía en lo que Dios puede hacer a través de ti, abre tu corazón a nuevas experiencias con Dios y no le pongas límites porque estoy segura de que experimentarás su poder como nunca. Hay vidas que necesitan y esperan por ti, ahora*".

- Ministro Capellán Víctor Ramos; "cuando vayas al campo misionero procura atesorar cada vivencia. Escudríñalo todo retén solo lo bueno. Asegúrate de *dejar tus huellas* porque nada es más satisfactorio como regresar y que te reciban con los brazos abiertos y lágrimas de emoción. Después de todo no olvides que la Gloria es de Dios".

- Dra. Ruth Vega; "un misionero es un portador de la Palabra Divina con la misión de alcanzar almas para el reino de los cielos. Este es el mejor tiempo para juntos realizar la *Gran Comisión*... no perdamos nunca la fe".

- Pastor Ismael García; presidente, Ministerio Un Llamado, Una Misión, Inc. "Visitarás lugares hermosos donde tendrás la oportunidad de conocer la *Grandeza* de *Dios* a través de otras culturas, tierras y personas Atesóralo".

- Rvda. Millie González; "pocas cosas son tan desagradables como un misionero que aumenta las estadísticas para llamar la atención o recaudar fondos. Si construyes tu ministerio en medias verdades, tendrás grietas en las bases del fundamento. Se honesto, se responsable, y nunca exageres".

CUIDA DE TU SEGURIDAD PERSONAL:

- La seguridad es un elemento de suma importancia cuando se viaja al extranjero. Toma todas las precauciones posibles. Ten presente que no estás en tu país. Nunca puedes estar demasiado seguro en el extranjero así que usa tu sentido común y analiza las situaciones con anticipación. Presta atención a todo lo que te rodea. Debes estar preparado para cualquier circunstancia.

- Apenas llegues al campo, regístrate en la embajada o el consulado de tu país de origen; si eres un misionero transcultural o biocupacional.

- Necesitas saber el nombre y el número de emergencia, así como la dirección de tu supervisor inmediato o de tu agencia misionera en el campo, antes de salir de tu país.

- Cuando llegues al país de destino, presta atención a lo que los misioneros te aconsejen en cuanto al cambio de dinero. Es diferente en cada país. Deberías cambiar solo lo necesario para gastos inmediatos.

- Nunca lleves contigo mucho dinero en efectivo y/o mantenlo en un lugar seguro, cerca de tu cuerpo. Lo mejor son las bolsas y cinturones especiales para guardar dinero. Si tienes que llevar una cartera, ajústala a la cintura o usa una correa larga cruzada.

- Asegúrate de tener una reserva en tu casa de por lo menos $100.00 en efectivo por cada persona de tu familia para alguna emergencia.

- Guarda tus cosas de valor como tu pasaporte, dinero, documentos de nacimiento, licencia de conducir, etc., en un lugar seguro y que sea de fácil acceso para ti.

- Si alguien desea robarte no pongas resistencia. En caso de sufrir algún robo o accidente, repórtalo a la policía del lugar o a la embajada. Cuando lo hagas, anda acompañado de alguien más.

- Nunca tomes un taxi si hubiera en él otro pasajero extraño para ti. Trata de no salir solo. Siempre anda acompañado de por lo menos una persona. Trata de no llamar la atención. Es preferible que pases inadvertido hasta donde sea posible con el fin de evitar problemas.

- Siempre solicita que algún local te acompañe cuando necesites recorrer la ciudad.

- Informa a tu director de campo, supervisor inmediato o director de tu agencia misionera; la dirección y teléfono de contacto cuando vayas a salir de la ciudad por vacaciones, en una tarea específica o en un día feriado, etc. Si ocurre alguna emergencia sabrán donde pueden ubicarte.

- Nunca aceptes bebidas o comida de algún extraño en el bus, el tren o en la calle.

- Lleva o ten contigo un teléfono celular que esté en buen estado y que tenga cobertura internacional (roaming).

- Mantén tu computadora con una clave de seguridad y encriptada www.truecrypt.com (es gratis). También ten un disco duro externo para que tengas una copia de seguridad o backup de tu computadora.

- Carga tu computadora en un maletín que no sea muy llamativo, pero importante que a la vez sea seguro.

- Lee o mira constantemente las noticias locales para que puedas estar enterado de alguna situación de peligro o de emergencia en la ciudad.

Obstáculos en la predicación

Sea consciente de que el principal obstáculo para una buena predicación se encuentra dentro de usted mismo. Esto significa que cuando predica un mensaje, y este no surte el efecto que deseaba obtener, la culpa *no* es del receptor sino únicamente suya como predicador. ¿Por qué? Porque *no* tuvo el suficiente cuidado para estudiar y desarrollar la estrategia adecuada para hacerse entender. Así que el obstáculo está dentro de usted, y se llama: *Incomprensión*. Para tener éxito en las predicaciones, siempre debe preguntarse si está dejando señales o ayudas para que las personas le sigan hasta el final con interés y entendimiento. ¿O tal vez está poniendo obstáculos que impiden que las personas puedan seguirle en lo que trata de comunicar?

Una buena predicación debe ser como un mapa o una guía de fácil comprensión. A la gente le gusta escuchar predicaciones bien trazadas. Por eso, necesitará preparar el material intencionalmente, pensando bien en cómo contar el desarrollo del tema.

1. Deberá ser directo y preciso (por lo general la prédica tendrá una duración de una (1) hora aproximadamente).

2. Utilice sus propias experiencias.

- Evita el exceso de detalles (muchos nombres, lugares, y fechas distraen).

- No mienta ni exagere. Dios no necesita ayuda.

- Evita los estereotipos o las generalizaciones sobre el país o la cultura donde sirves. *Nunca* ofenda al local o su cultura, usted siempre será el extranjero invitado en una tierra desconocida, aunque conocida.

- La predicación no debe ser un documental del viaje misionero, sino una invitación a la salvación por medio de Jesús.

A través del relato del mensaje de la Santa Biblia podemos ver, oír, oler, saber, tocar y sentir lo que ha experimentado el predicador.

De acuerdo con estudios realizados, un *Gran Obstáculo* en la predicación es que las personas olvidan el 40% del mensaje del orador después de los primeros 20 minutos; el 60% después de media hora; y el 90%, después de una semana. Solo el 12% afirmó recordar la mayoría de las veces el sermón.

El 87% confesó que divaga en su mente durante el sermón y el 35% considera que los sermones que escuchan son demasiado extensos. Estas cifras estadísticas son aplicables tanto a los predicadores elocuentes como a los que tienen una oratoria más limitada. Ante esta realidad podemos concluir que en el mundo de la predicación el predicador es, mucho más importante que lo que dice o hace.

Esta generación necesita más que nunca, hombres y mujeres llenos de poder y unción de lo alto para trazar la palabra con gracia y autoridad. *No* para recibir aplausos y alardear de la fama sino para quebrar el corazón de piedra con un ministerio que refleje compasión por el pecador.

Comunicación

La tarea misionera a la cual es enviado no es una tarea de un solo protagonista. Es la tarea de toda la iglesia y como misionero usted tiene la responsabilidad de que su iglesia entienda que todos son importantes en el ministerio y que juntos pueden hacer misiones.

Muchos autores han escrito sobre la importancia de salir al campo misionero con un equipo de apoyo para el área: moral, organizacional, económica, oración, comunicación y adaptación para cuando el misionero regresa del campo. En este equipo se pueden involucrar diferentes miembros de distintos ministerios. Esto enriquece al equipo y también permite que toda la iglesia esté involucrada y participe en la obra misionera. Este equipo le ayudará desde su patria mientras se encuentre en el campo. Deberá orar por ellos y fortalecer la amistad. No los vea sólo como gente que tiene que dar, sino también debe estar dispuesto a darse por ellos y mostrarse amigo estrechando lazos emocionales con su equipo base.

Mantener la comunicación a distancia es un poco difícil pero *no* imposible. Hoy en día contamos con muchas herramientas que nos facilitan estar más en contacto con nuestra iglesia local y la familia. Aun así, no todos los casos son iguales, ya que hay algunos misioneros que irán a lugares de acceso cerrado, pueblos donde no hay internet, etc. En lo posible, deberá tratar de programar y disponer de un tiempo para poder comunicarse con la iglesia enviadora, agencia, amigos y familia. En aquellos casos en los que no se cuenta con fácil acceso a la comunicación, programar comunicaciones periódicamente cuando tengas acceso a internet o algún otro medio de comunicación. La idea es que desarrolle y mantenga una constante comunicación de su parte. "A veces los misioneros se quejan de que no hay suficiente apoyo espiritual y económico. Pero muchas veces cometen el error de no comunicarse fielmente con la base enviadora. Esto lo debe tener muy en claro el misionero antes de salir al campo.

Joseph Watson, misionero de JUCUM también dijo: "Tienes que estar dispuesto a comunicarte con el equipo de envío de alguna forma y hacerlo regularmente: emails, Facebook, llamadas, Skype, etc. La regla número uno es mantenerse comunicado. No espere hasta volver a casa para contarle a la gente la historia completa de cómo ha estado su vida. A menos que su viaje sea uno corto de experiencia misionera, en cuyo caso será importante mantener la discreción de lo que sucede en la misión; con el fin de sorprender a la iglesia con los testimonios de lo acontecido.

Comunicación es rodearse de gente en dónde esté. No solo puede recibir de la gente de su propio país. Por el contrario, aprenda a recibir de la gente a su alrededor y de los nuevos amigos que Dios ponga en su camino: misioneros que trabajan en el campo con usted, aunque sean de diferente denominación o agencia; otros cristianos maduros en la fe o líderes de iglesias, etc. Ellos pueden comprender de manera más cercana lo que usted vive y siente en los momentos difíciles. *Nunca* menosprecie la gente con la que Dios a rodeando su vida. Recuerde siempre reflejar el amor de Dios con palabras y con hechos.

APUNTES:

APUNTES:

APUNTES:

Apuntes:

Experiencias Diarias

Actividad:	Día:	Día:	Día:	Día:
Compartir Vespertino				
Actividad durante el Día				
Actividad durante la Noche				
Evaluación Diaria y/o Vivencia Colectiva				

ExPerIenCiaS DiAriAs

AcTIVIDAd:	DíA:	DíA:	DíA:	DíA:
Compartir Vespertino				
Actividad durante el Día				
Actividad durante la Noche				
Evaluación Diaria y/o Vivencia Colectiva				

ExPerIenCiaS DiAriAs

AcTIVIDAd:	Día:	Día:	Día:	Día:
Compartir Vespertino				
Actividad durante el Día				
Actividad durante la Noche				
Evaluación Diaria y/o Vivencia Colectiva				

ExPerIenCiaS DiAriAs

AcTIVIDAd:	Día:	Día:	Día:	Día:
Compartir Vespertino				
Actividad durante el Día				
Actividad durante la Noche				
Evaluación Diaria y/o Vivencia Colectiva				

ExPerIenCiaS DiAriAs

AcTIVIDAd:	DíA:	DíA:	DíA:	DíA:
Compartir Vespertino				
Actividad durante el Día				
Actividad durante la Noche				
Evaluación Diaria y/o Vivencia Colectiva				

Como parte integrar de un grupo misionero todos los miembros son responsabilidad del líder organizador. La importancia de este documento es para eximir al líder, ministerio y/o a la congregación de cualquier accidente imprevisto que esté fuera del control de la misión.

RELEVO DE RESPONSABILIDAD

Yo, ______________________, eximo a ___________________________ a sus líderes y la entidad jurídica que representa, de responsabilidad legal alguna en lo concerniente al viaje misionero que se detalla a continuación:

Fecha: ___________________________.

Lugar: ______________________________________.

Certifico que he firmado este relevo por voluntad propia y en pleno uso de mis facultades mentales.

En ____________________, ____________________. Hoy _____ de _______________de _____.

______________________ ______________________

Participante Representante

Una palabra final

Un *mentor*, influenció a la *oveja*, que convirtió en un *discípulo*, mostrándole el secreto de ser *siervo*. Sus ojos fueron abiertos cuando la pasión lo sedujo y ciego de amor comenzó su labor como *obrero*, sin comprender que Dios le transformaba lentamente en un *ministro*. Entonces un día su *mentor* dejó de serlo y angustiado ante la pérdida, el entristecido *ministro* ocupó su lugar como un nuevo *mentor* que a su vez influiría en una nueva *oveja*. Como puedes notar este es el interminable ciclo ministerial. Un día admiras a tu mentor y el otro día te conviertes en el nuevo mentor. Un día sueñas con el campo misionero y otro día descubres esta Guía Misionera; entonces como aquel que observa un nuevo amanecer sabes que hoy es una nueva oportunidad para responder al llamado misionero del Dios de los Altos Cielos.

A Pesar de la valiosa información provista de esta guía la misma es solo una introducción. Cada tema tratado tiene que ser examinado y desarrollado más a fondo. Te invito a buscar más información a través de tantas organizaciones y recursos variados que poseemos en nuestra comunidad socio eclesial. En particular, la Agencia Misionera Aliento a las Naciones, provee recursos adicionales y formación sobre los temas presentados en esta guía (www.alientoalasnaciones.com).

Es mi oración que Dios use este breve material de alguna manera con el fin de motivar a su iglesia para que predique su palabra y realice su obra en medio de los pobres. El material de esta guía nace de quince (15) años de colaboración entre misioneros como el fallecido Rvdo. Dr. Alexis Santiago Nieves amigo de tantos años y la labor de la Fundación Dr. Luis Rodríguez. Equipo interdisciplinario que lleva muchos años trabajando para ayudar a comunidades, iglesias y entidades alrededor del mundo a ministrar a las necesidades económicas, espirituales y sociales de los pobres de Espíritu. Cuando un equipo de trabajo llenos de diferencias en sus puntos de vista, con virtudes y defectos; defectos y virtudes intentan dejar huellas en las naciones, se hace entender la realidad de Proverbios 27:17

«Hierro con hierro se aguza; y el hombre le da ánimo a su amigo»

Sagradas Escrituras 1569

Este es un proceso natural que confronta al humano, pero al final le bendice profundamente. En este punto no puedo proseguir sin resaltar mi reconocimiento a todos esos colaboradores que son parte integral de los proyectos de la FDLR & ASOCS y a los que hoy ya no están, a todos gracias porque su ayuda fue, es y será imprescindible para el éxito de cada misión.

Es mi mayor anhelo tomar este material introductorio y una vez publicado recibir de usted estimado lector su contribución para amplificar esta obra en cada nueva edición.

Para contactar al autor:
P.O. Box 30,000
PMB 358
Canóvanas, P.R., 00729.
Page: www.mision206.org
email: doctorluisrodriguez@gmail.com

SOBRE EL AUTOR

La trayectoria ministerial de Luis Rodríguez Torres es muy amplia; posee un Doctorado secular en Filosofía y Letras además de un Doctorado en Divinidad con una especialidad en Cuidado Pastoral y Consejería Familiar. Comenzó a visitar el campo misionero el verano de 1989 y al presente han transcurrido treinta y un años de su primera experiencia. Recibió credenciales de Predicador Licenciado (pastor) del Movimiento Internacional de Iglesias Defensores de la fe Cristina a la edad de veinte años, aunque no fue hasta tres años más tarde, que se le instaló como pastor en propiedad de la única congregación que ha pastoreado; El Lirio del Valle, Casa para las Naciones en Loíza, Puerto Rico, fungiendo hasta el presente, como pastor general por los últimos veintitrés años.

Fundador de varios proyectos filantrópicos entre los que destacan: Rvdo. Víctor Ríos Rojas Schoolarship, la Fundación Doctor Luis Rodríguez & Asociados y la Universidad Teológica Contextual. Como parte de sus logros misioneros ha logrado predicar en cuatro de los cinco continentes habitados del mundo; en setenta países hasta hoy entre los que sobresalen once países en el viejo mundo. Además de impactar tierras donde el evangelio estuvo o está limitado hasta el presente como: Cuba, Colombia, Nicaragua y hasta predicar el evangelio donde está prohibido como: China, Irán, y Corea del Norte entre otros. Según sus palabras; "falta mucho por alcanzar; Hungría, Australia, Mongolia, Bután y más". Escuchar su sabiduría me hace pensar que es un anciano cautivo en un cuerpo joven lleno de nuevos proyectos cada vez más ambiciosos. Este hombre a sus 45 años todavía irradia una pasión y una energía que en pocas personas he podido contemplar.

Al preguntarle ¿Cuál es su mayor logro? Su respuesta es imposible de no compartir en este breve resumen de trayectoria...

> "Estoy plenamente convencido de mi mayor logro en la vida... Y este es, amar al Divino Creador sin reservas. Amar a mis padres

como ellos me amaron a mi o mucho más, a mis incondicionales hermanos, a mis energizantes sobrinos y a mis simpáticas cuñadas. Sin dejar de amar la labor misionera que me fue solicitada realizar y por último e igualmente importante; amar a mi familia inmediata, con pocas palabras, pero con un amor sin limitaciones. Amar a mi razón de alcanzar lo inalcanzable, la motivación de volver a sonreír después de llorar, el motor que me impulsa a comenzar, cuando otros pensaron que había terminado; Luis Yeniel la responsabilidad más grande de todas las demás; en definitiva, mi mayor logro es dejar huellas profundas en mi propia familia que decidió tomarme de la mano en un ministerio tan sacrificado, pero tan gratificante a la vez".

Pienso que lo más importante para resaltar en esta línea final es la oración: para que mi amigo Luis, continúe siendo un *siervo inútil* del evangelio, para *Gloria* de nuestro Dios.

Rvdo. Josué Yiron Alves
Río de Janeiro, Brasil

傳教士指南 • GUIDE MISSIONNAIRE

• GABAY SA MISYONARYO • 宣教師ガイド

In Missions There are No Borders...

BILINGUAL EDITION

MISSIONARY GUIDE
Dr. Luis Rodriguez & Associates Foundation, Inc.
First Bilingual Edition
RadiKal Editorial - 2020
www.editorialradikal.com
info@editorialradikal.com
Canóvanas, Puerto Rico

Interior Design: Janeza Pérez
Cell 787-617-9123
www.codigointimoeditorial2018@gmail.com
Fayetteville, North Carolina
Cover design: Codigo Intimo Editorial

The above biblical quotations are taken from the 1960 Reina-Valera Bible. When another version is used, it is identified immediately after the cited passage.

If you wish to contact the author:
www.mision206.org
email: doctorluisrodriguez@gmail.com

ISBN: 978-1-7343177-0-1
Category: Missiology
Printed in the United States

Presents

Missionary Guide:

There are No Borders in the Missions

EDITORIAL INTIMATE CODE

Código íntimo is an independent publishing house created in 2018. The publishing house was born due to the need of our brothers in the faith, whose desire to find the best prices to be able to manufacture their projects, their efforts were unsuccessful because they could not afford the high costs of the quotations they were given. Seeing many friends, acquaintances and strangers commenting on these frustrations and needing the opportunity for someone to help them create their projects or manuscripts they so desire, the publishing house Codigo Intimo was born. We want to help you see your dream come true.

At código íntimo and its team we are committed to making your manuscript a complete work to the taste of the author. We make your book for a very accessible price within the budget for any working person, therefore, you who read me, if you want or are looking for someone to make your book, in código íntimo you can trust. We work with care, commitment, enthusiasm, and dedication. In código íntimo publishing house we work on everything from graphic design, interior design, editing, text development, and layout, among others. We do everything to make your book YOUR DREAM MADE A REALITY.

If you need additional information you can contact me at the contact number located on the credits page and on our Facebook page and I will gladly answer you.

Cordially:

Janeza Perez
Administrator

TABLE OF CONTENTS

DEDICATION

I dedicate this work to all those who, wanting to be disciples of Jesus, forgot their own will and were willing to die for doing what he told them (Mark 8:34-35). To those who upset the world with real self-sacrifice, for all true martyrs are revolutionaries; but not all revolutionaries are truly martyrs.

To those who were true, to those who chose death instead of denial... who chose faith instead of fear... and chose to be witnesses instead of hiding. To all whom the world did not deserve (Hebrews 11:38). To those fallen without losing their integrity, men, and women in one piece; I dedicate this guide.

Within this wide world of the heroes of the faith, I cannot fail to highlight in this first literary work a hero of the gospel that very few know but impacted my world and that is enough. A man who repeatedly told me: "If you are responsible to God, be responsible to others and you will be an example in everything". To the first Bible school teacher I can remember, I dedicate these letters. To that man who slept a few hours to provide me with daily sustenance so that I could become the man you know today. To a hero who taught me how to hold my tone between the chords of the guitar and with whom I sang those first duets for long hours. To that man who evangelized my heart with his example and dedication. An anonymous hero for thousands but who impelled me so that thousands more would know Jesus through a ministry that I did not ask for and even less deserved. To an ordinary man chosen by an extraordinary God to bless my life every time I call him Dad, to you Sergio Rodriguez Ortiz, who told me I could reach him; I dedicate this achievement to keep it in your memory until the day you can't remember my name or utter a word.

I dedicate this achievement to you, Dad... I LOVE YOU and I know you love me because your eyes are crying out to me.

Rev. Luis Rodríguez, Ph.D.

Mar.tir

(martyr), is the Greek word for "witness".

1. One who chooses death rather than deny Jesus Christ or His work.
2. One who testifies to the truth he has seen, or knows, or has heard, as a witness does before a court of law.
3. One who sacrifices something of great importance for the advancement of the kingdom of God.
4. One who endures constant or severe suffering for the sake of Christian testimony.
5. One who preserved his faith, believing it would not be in vain.

It is said that there are more Christian martyrs today than there were in A.D. 100 in the days of the Roman Empire. According to a study conducted at Regent University, 164,000 believers were martyred around the world in 1999. It is estimated that 194,000 will be martyred by the end of 2020.

This is the end, for me the beginning of eternal life.

Dietrich Bonhoeffer
Hanging on the gallows
in Germany, 1945

On the day Patrick Hamilton was burned at the stake, someone dared to say to his persecutors: "If you are going to continue to burn Christians, you'd better do it in a basement, because the smoke from the flames that consumed Hamilton has opened the eyes of hundreds. Those marked by Jesus make the most of every opportunity to speak of their redeemer. Hamilton preached in the streets, in prison and even at the stake.

Do you make every opportunity count for eternity?

Throughout history, many have died so that you can experience the faith and freedoms you enjoy today. You, too, can choose to remain steadfast in your faith. God will honor you and make a difference in the world around you.

Foreword

How many times have you had the opportunity to read a Missionary Guide that was simple and functional? At the right time, Luis Rodriguez wrote this content knowing the need to have a responsible structure when starting a missionary adventure. This material does not pretend to provide answers to all the existing questions, the aim is more general with practical suggestions for the missionary with little experience, but full of enthusiasm and passion.

This book was designed primarily as a guide. The truth is that today there are many manuals on a variety of subjects. This work is a very concise guide to be used as one more tool in the day-to-day life of any missionary work team. Initially, the creation of this material was in response to a need to maintain an image that would complement the real appearance of a well-structured order in carrying out missionary work. The first time it was used was in a mission to be developed in Argentina and the acceptance of the material was immediate. Since then, this same manual has accompanied us on many dozens of trips; it has become an indispensable work tool for the Doctor Luis Rodríguez & Associates Foundation and is used in conferences with large and small groups.

I must add that this material prior to its commercial publication was used as a textbook in institutes, Bible seminars and closed church courses in several continents, being Puerto Rico the launching platform. As an organization with sixteen years of carrying out missionary projects we are very satisfied with this work because we understand that it achieved its purpose. If in the coming years it continues to be a useful instrument in the areas already mentioned, as well as in the ministerial life of leaders and missionaries who use it; it will have achieved all the objectives for which this guide was designed. In any case, if this manual is used, it will be of great help in determining your ministerial preparation, useful in discovering problems that may already exist, and will provide solutions to unresolved concerns.

Missionary reader, I hope that this manual will not only edify your group, but that in turn the information provided in the pages of this writing will serve to make your mission a success. In no way do we pretend to believe that this is the best missionary guide that exists, but we do hope that it will facilitate the gears of the missionary adventure that is to come.

WHAT IS A MISSIONARY?

Is the missionary a strange being?
Which is on the verge of extinction
And if we do not take prompt action today
Fewer people will travel each year

He always lives totally detached
Performing each act with devotion
Proclaiming everywhere the commission
Helping the brother and the friend

Without reason he gives love to the foreigner
Always extend a hand to the fallen one
No matter how unfamiliar
He becomes the Lord's messenger

He is always passionate about his work
Without studies you become a counselor
Their actions always put God first
And he meets the so-called lover

When you exhibit you have a little strange taste?
He does not like to preach at the cathedral
Even in large temples with glass walls
But he loves to mingle with the herd

He prefers churches where the earth is the ground
With tree trunks as beautiful columns
There he speaks the word as porous
Elevating worship to the God of the Highest Heaven

You have tasted some strange foods
When using the bathroom, he has lost his modesty
Facing bitter cold and great heat
And yet you think about coming back the next year

Spreading the seed with love
Even though he knows he is in for a tough fight
If necessary, he will face the same death
But he will always be ready to leave with his Creator

The word missionary does not appear in Scripture
However, in these lines I dare to disagree
By stating firmly and no one will be able to argue
That the call to missions is one of great height.

Author: Ramos Missionary
Road Mate

FAMOUS MISSIONARY QUOTES

- "God, count on me; don't do anything without me," -Yadiel S. Calderon Rodriguez
- "There is no such thing as a closed country, as long as you're willing to go in and not come back." -Brother Andrew
- "You must go to the mission field or send a replacement." -Oswald Smith
- "Expect great things from God, when you undertake great things for Him." -W. Carey
- "Go means change of location." -Loren Cunningham
- "God's will not take you where his grace cannot sustain you." -Jim Elliot
- "If God wants to evangelize the world, and you refuse to support missions, you oppose God's work. -Oswald Smith.
- "When we came here in 1848 there were no Christians, when we left there were no non-Christians. -Jhpm Geddie
- "If Jesus Christ is God and died for me, no sacrifice I make for him will be too great. -Carlos T. Studd
- "Contribute according to your income, lest God bring your income up to the level of your contributions." -Anonymous
- "The church that ceases to be evangelical soon ceases to be evangelical. -A. Duff
- "The question is not how much of my money I will give to God, but how much of God's money I will reserve for myself." -Anonymous
- "The supreme task of the church is the evangelization of the world." -Oswald Smith.
- "Your sole purpose on earth is to save souls." - John Wesley
- "The best remedy for a sick church is to put it on a missionary diet." -Anonymous

- "My duty is to proclaim the message, no matter what the personal consequences for myself." -Count Nicolas Von Zinzedorf
- "I declare, now that I am dying, that I would not spend my life otherwise than in exchange for the whole world." -David Brainerd
- "My congregation is the world." -John Wesley
- "We speak of the second coming; while half the world has never heard of the first." -Oswald Smith
- "God is counting on you and wants you to make history," -Dr. Alexis Santiago Nieves

"I HAVE TO KNOW"

SOME CHRISTIANS HAVE NOT EVEN TRIED
THINK WHETHER THEY WILL DIE FOR JESUS, BECAUSE IN
REALITY HAVE NOT YET BEGUN TO LIVE FOR HIM.

THOMAS HAUKER
ENGLAND, YEAR 1555.

-Thomas," said his friend from the prison, lowering his voice so as not to be heard by the guard. I have one last favor to ask. I must know if what you and others say about the Grace of God is true. Tomorrow, when you are burned at the stake, if the pain is tolerable and there is still peace in your mind, raise your hands high above your head. Do it before you die... and then I shall know that I must give my life to Jesus. Thomas, I must know.

Thomas Hauker said in a whisper to his friend: I will. The next morning, they tied Hauker to the pole at the stake, then set the fire, which had been burning for a long time, but Hauker remained motionless and silent. The smoke carried the mixture of the smells of wood, ropes, and burnt skin to the point of complete roasting all the way to the prison. The fire devoured everything it found, and at this point Hauker had no fingers left. Everyone watched the macabre spectacle, believing he was dead. Suddenly, unexpectedly, Hauker raised his hands to the one true living God, still embraced by the intense flames, and then with great joy he shouted: "it doesn't hurt", then he clapped three times and died.

Those present burst into shouts of adoration and applause. The unconverted prisoner, friend of Thomas Hauker, had received his answer and therefore, prostrate on the floor, he gave his life to Christ on the day of the death of a martyr.

My grace is sufficient for you, for my power is made perfect in weakness. Therefore, I will gladly glory in my weakness, that the power of Christ may rest upon me. For Christ's sake I rejoice in weaknesses, in insults, in necessities, in persecutions, in distresses; for when I am weak, then I am strong.

Apostle Saulius Pabilius
Martyred in Rome in 65 AD
2 Corinthians 12:9-10

SOME PRACTICAL ADVICE:

1. Providing a phone number on the field for an emergency is not always appropriate. This is a complicated decision for the leader, due to the multiple variants that this entails.

2. Carry as little as possible in your luggage, think about the essentials and real necessities. A suitcase and a hand luggage are recommended. Every participant in a missionary experience is advised to take an additional suitcase full of new clothes or in good condition as a gift. We do not suggest shoes unless they are rubber and light to carry.

3. Bring enough "OFF", the mosquito repellent, disposable wet towels, Tylenol, Pepto-Bismol, and other general medications for your personal use.

4. Be careful how you speak in front of locals:

- Do not compare the things you see in your country. Even if you think about it, do not comment. Do not invite anyone to visit your country. Do not give money to anyone. Any contribution will be given by all at the end. Do not talk about politics, or finances, if the subject arises, change the conversation. Be careful when offering your cell phone number, preferably have your mailing or church address available. If you wish, provide your email address and/or Facebook address, among other options. Do not give away any of your belongings without consulting with the group leader so that he or she can consult with the host pastor or determine what the correct action will be.

- Do not make gestures or comments that may offend our national brethren. Be careful!

5. Watch out for attitudes. In this work we do for God, the enemy will always look for ways to get in the way. It becomes a fertile ground for these. Even though we know each other, we have never lived together for several days, let alone done this kind of work. Inconveniences may arise that make us uncomfortable or affect us, since we are not used to them; moreover, every missionary undertaking represents a great spiritual struggle.

6. As a policy of prevention and care, it will be the leader's choice whether to place the couples in the same room. On each trip, all men and women will sleep separately, if conditions allow.

Suggested model

Consider of great importance the previous planning of any action in the field, without losing the ability to be flexible to the intervention of the unexpected as the supernatural. Develop the logistics of your team and provide the space to inform the trip schedule.

Programming subject to multiple variants

Itinerary: January 1-14 2080 Mission: Nigeria, África

Sunday ____________________

____

____

Monday ____________________

____

____

Tuesday ____________________

____

____

Wednesday ____________________

____

____

Thursday ____________________

____

Itinerary: January 1-14 2080 **Mission:** Nigeria, África

Friday

Saturday

Sunday

Monday

Tuesday

Wednesday

Thursday

Itinerary: January 1-14 2080 **Mission:** Nigeria, África

Friday____

____

____

Saturday______________________________________

____

____

Finally, the sad return. It is important to be at the airport three (3) hours before boarding time especially on international flights. You will soon be faced with the anxious and busy real life of every day. Although it is important not to forget that the real missionary journey begins upon your return (2 Corinthians 2:11). (2 Corinthians 2:11) Stay strong, and soon the new missionary adventure will arrive.

THE KEY TO SUCCESS WILL BE IN:

- Maintaining good control of our attitudes.
- Be patient and considerate of others. Consider that, if we are a large group, we take more time than usual for some things (cleaning, eating, etc.).
- Make good use of time and be punctual in the established schedule.
- Never leave the group without notifying the leader, no matter how old you are.
- Always maintain an intimate communion with God.

The parishioners or host pastors will strive to serve. However, serving a group of people is a big job for them. If you are responsible for scheduling and punctuality, this will help keep them from overworking. Formality should prevail even if they are informal or unpunctual. It is always better for the team to be ready than for the hosts to have to wait.

- Let your primary purpose be to do a job with dedication, passion, and excellence, because you will be doing it for the Lord and not for men.

COMPULSORY VACCINATION:

There are countries where it is a requirement to receive certain vaccinations to enter the country. The most common of these is: Yellow Fever, it is administered along with a certificate of international validity. Currently its duration is for life. There are other vaccines such as Tetravalent Meningitis, or in the case of Malaria, the Chemoprophylaxis pill must be taken daily one day before the trip, during the trip and seven days after the end of the trip.

It is necessary to clarify that there are many countries in both Central America and South America that do not require vaccinations to enter the country, although they are localities prone to the spread of diseases that require immunization. Given this reality, it is the responsibility of everyone to decide whether to get vaccinated or risk the adventure.

I recognize, as a very regrettable fact, that most of the missionary structures that I know do not dedicate attention to such relevant data as this for the health of every missionary.

WHAT DO I NEED?

The following table provides a simple overview of what is required to make a suitcase suitable for most circumstances, whether it is a male or female suitcase. The amounts are indicated in a cursory manner to make it more convenient to write down the suggested information.

QUANTITY	ARTICLE	ARTICLE	QUANTITY
2/3	Jeans (pants or skirts)	Sanitary Napkins (Pads)	2 packs
1	Black Pants (1 Suit jacket)	Body Lotion	1
4/5	Polo Shirts	Shampoo	1
10	T-shirts	Conditioner	1
1	Black shoes- not new	Bobby pins	¿ ?
1	Sneakers- not new	Bed Set	1
1	Sandals	Nail Clipper	1
1	Short Pants	Black Skirt	1
2	Conservative pajamas	Note Book	1
2	Belts	Bible	1
20	Underwear	Pen	1
¿ ?	Dress socks	Casual/ Sport Watch	2
¿ ?	Casual Socks	Mosquito repellent	1
1	Perfume/ body Splash	Sunscreen 100%	1
1	Febreeze	Portable Mirror (might not be available)	1
1	Deodorant		
1	Hair Gel		
2 packs	Wipes		
1	Toothbrush/ Thoothpaste		
1	Soap Case		
1	Soap		
1	Small Towels	**IMPORTANT NOTE:**	
1 packs	Razors for shaving	Sweater	1
1	Shaving cream	Pillow	1

1	Dry Shampoo	Leggings	2
1	Lip gloss		
1 pack	(Q-Tips)		
	Bags for dirty laundry	**DOCUMENTS:**	
1	Toilet paper or a roll of Bounty (with inner roll removed)	Licence/ passport card	Copia
1	Additional empty back pack	Birth Certificate	Copia
1	Flashlight	Passport	Original y Copia
1	Camera		
¿ ?	Batteries		
1	Hair brush	**Medicine:**	
		Imodium, Cloraseptic, Tylenol, Midol, Zantac or any other medications you are currently on.	

IMPORTANT NOTES:

Before you travel, check with your bank to avoid bad surprises during or after your trip. Ask the financial entity the commission it will apply when using the card abroad. Make a note of the number to call in case of any incidents to report. Use your memory and do not write down the card's PIN anywhere and never get distracted. If you pay with your card in a shop, restaurant or other place, do not lose sight of your card at any time.

You may not think you need this advice. But analyze. If you were the victim of a robbery or an accident where you lost your money, you will need to have taken these steps with your financial institution to resolve any unforeseen events by resorting to a credit or debit line. Then you will thank me for following these guidelines.

Wear comfortable clothes for most of the time like short-sleeved shirts and/or T-Shirts. Take at least two changes of formal clothing. Avoid unnecessary use of clothes. Wear only a watch that can be easily removed.

I emphasize once again to avoid conversations of politics, religion, and/or the like. Keep a copy of your passport in a safe place in your luggage or memorize it, and unless otherwise indicated, always carry it with you. Leave a copy with a family member every time you travel.

When you are on the street, do not neglect your belongings or yourself. Always be alert.

If it is not necessary to mention the place of origin, do not do so. For general security identify yourself as a Puerto Rican and not an American, depending on where you are.

Any belongings you carry with you, always keep in mind that you must share them with your fellow missionaries if necessary. If the opposite is true, then remember to always indicate that you need something from your partner.

Do not consume any food or drink unless authorized by the leader. This will avoid diseases and/or bacteria in your body that you do not want.

If you are carrying electrical equipment you must have a power converter with European adaptation, according to the electrical regulations of the country you are visiting.

Important: It will be a decision of each member of the mission to carry their cell phone on the journey of the missionary work, if you decide so, then be careful; avoid being a victim of crime. Carry with you (written not on the cell phone memory) the important telephone numbers in case of emergency. Wait! be prudent; time and space will be provided to make calls to your home.

The primary focus of the mission is the souls. You should not lose focus on the target using Twitter, Facebook, YouTube, or WhatsApp, among others. I remind you that doing missions is to get out of the environment around you; father, mother, brothers and sisters and friends to do the will of the Creator. You will have enough time to tell your experiences to each of them when you return.

All customs offices have different legal requirements, so get oriented before your mission trip so you can avoid unnecessary searches for prohibited goods.

Practical exercise

Instructions: briefly answer the following questions with the first answer that comes to mind. Then discuss it with the working group.

1. What motivates you to participate in this mission trip?

2. What do you hope to learn or receive from this experience?

At the administrative level, I consider it to be the most important part of any mission trip. Transparency in finances will be an indispensable part of the success of the mission when it is over because it will avoid the bad references of those decisions about the fund collected.

PLANNING THE GENERAL BUDGET:

Coordinator:

A. City and country to be visited: ______________________________

B. Date: ______________________

C. Travel Leader: _______________   Co-Leader: ______________

D. Purpose of the Trip: Educate, Provide Community Support and Evangelize

E. Expectation: To transform lives so that our lives are transformed.

F. Travel Itinerary: Available

A. Finance for the trip:

1. Ticket plus tax $ _________ ... ... P/P
2. Visa to enter and/or leave the country $ _________ ... ... P/P
3. Luggage Expenses $ _________ ... ... P/P
4. Estimated cost of lodging $ _________ ... ... P/P
5. Ground transportation $ _________ ... ... P/P
6. Travel coordination expenses $ _________ ... ... P/P
7. Emergency fund and other $ _________ ... ... P/P
8. Yellow Fever / Malaria Vaccination $ _________ ... ... P/P
9. Local Host Offerings $ _________ ... ... P/P
10. Food-Food $ _________ ... ... P/P

Preliminary Cost Per Person $ _________

B. Additional funds: museum, some attraction, among others

$ _________ ... ... P/P

C. Total Cost $ _________ ... ... P/P

Missionary advice:

- Pastor Luis Rodríguez; Executive Director, Dr. Luis Rodríguez & Associates Foundation "Each trip is a unique experience. You must make the most of this mini missionary crusade because you will never return from this great adventure in the same way.

- Missionary David de la Rosa; outstanding minister in Russia and Mongolia "I do not know you, but I do know the great performance of the God we preach, for this reason I am sure that the land you will tread will be marked by your testimony and missionary action".

- Pastor Rafael Berrios, former international director of missions at MIDIDFC. "Missions were born in the heart of God and now they will be born in your heart. Abandon yourself in the will of the Mighty One and He will take you to countries where you have never dreamed of being".

- Missionary Yelissa Lopez; "trust in what God can do through you, open your heart to new experiences with God and do not put limits on it because I am sure you will experience his power like never before. There are lives that need and wait for you, now".

- Minister Chaplain Victor Ramos; "when you go to the mission field try to treasure every experience. Search everything, retain only the good. Be sure to leave your footprints because nothing is more satisfying than to return and be received with open arms and tears of emotion. After all, do not forget that the glory belongs to God.

- Dr. Ruth Vega; "a missionary is a bearer of the Divine Word with a mission to reach souls for the kingdom of heaven. This is the best time to fulfill the Great Commission together... let us never lose faith".

- Pastor Ismael Garcia; president, One Call, One Mission, Inc. "You will visit beautiful places where you will have the opportunity to know the Greatness of God through other cultures, lands and people. Treasure it.

- Millie Gonzalez; "Few things are as unpleasant as a missionary who increases statistics to attract attention or raise funds. If you build your ministry on half-truths, you will have cracks in the foundation. Be honest, be responsible, and never overdo it.

TAKE CARE OF YOUR PERSONAL SAFETY:

- Security is a particularly important element when traveling abroad. Take every possible precaution. Keep in mind that you are not in your own country. You can never be too safe abroad. Use your common sense and analyzes situations in advance. Pay attention to everything around you. You must be prepared for any circumstances.
- As soon as you arrive in the field, register with your home country's embassy or consulate, if you are a cross-cultural or bio-cupational missionary.
- You need to know the name and emergency number, of your immediate supervisor or mission's agency on the field, before you leave your country.
- When you arrive in the destination country pay attention to what the missionaries advise you about changing money. It is different in every country. You should only change what is necessary for immediate expenses.
- Never carry a lot of cash with you and/or keep it in a safe place close to your body. It is best to use special bags and belts to store money. If you must carry a wallet, strap it to your waist or use a long cross strap.
- Make sure you have at least $100.00 cash in your home for each person in your family for emergencies.
- Keep your valuables such as your passport, money, birth certificates, driver's license, etc., in a safe place that is easily accessible to you.
- If someone wants to steal from you, do not resist. If you are robbed or have an accident, report it to the local police or the embassy. When you do, be accompanied by someone else.
- Never take a taxi if there is another foreign passenger in it. Try not to go out alone. Always be accompanied by at least one person. Try not to draw attention to yourself. It is preferable that you go unnoticed as far as possible to avoid problems.
- Always ask for a local to accompany you when you need to tour the city.

- Inform your field director, immediate supervisor, or missions agency director of your contact address and phone number when you are going out of town for a vacation, on a specific assignment, or on a holiday, etc. If an emergency occurs, they will know where to reach you.

- Never accept food or drink from a stranger on the bus, train or on the street.

- Carry or have with you a cell phone that is in good condition and has international coverage (roaming).

- Keep your computer with a security key and encrypted www.truecrypt.com (it is free). Also have an external hard drive so that you have a backup of your computer.

- Load your computer in a suitcase that is not too flashy, but important that it is safe.

- Read or watch the local news constantly so you can be aware of any dangerous or emergency situations in town.

OBSTACLES TO PREACHING

Be aware that the main obstacle to good preaching lies within yourself. This means that when you preach a message, and it does not have the effect you wanted, the fault is not with the receiver but with you as a preacher. Why? Because you were not careful enough to study and develop the right strategy to make yourself understood. So, the obstacle is within you, and it is called: Incomprehension. To be successful in preaching, you must always ask yourself if you are leaving signs or aids for people to follow you to the end with interest and understanding. Or perhaps you are putting up obstacles that prevent people from following you in what you are trying to communicate?

Good preaching should be like an easily understood map or guide. People like to listen to well-drawn-out preaching. Therefore, you will need to prepare the material intentionally, thinking through how to tell the story.

1. It should be direct and precise (usually the preaching will last about one (1) hour).

2. Use your own experiences.

- Avoid too much detail (too many names, places, and dates are distracting).

- Do not lie or exaggerate. God does not need help.

- Avoid stereotypes or generalizations about the country or culture where you serve. Never offend the local or his culture; you will always be the invited foreigner in an unknown, yet familiar land.

- Preaching should not be a documentary of the mission trip, but an invitation to salvation through Jesus.

Through the telling of the message of the Holy Bible we can see, hear, smell, know, touch, and feel what the preacher has experienced.

According to studies, a major obstacle to preaching is that people forget 40% of the speaker's message after the first 20 minutes; 60% after half an hour; and 90% after a week. Only twelve percent said they remembered the sermon most of the time.

87% confessed that they wander in their mind during the sermon and 35% consider the sermons they hear to be too long. These statistics apply to both eloquent preachers and those with more limited oratory. Given this reality, we can conclude that in the world of preaching the preacher is much more important than what he says or does.

This generation needs, more than ever, men and women full of power and anointing from on high to shape the word with grace and authority. Not to receive applause and flaunt fame but to break the heart of stone with a ministry that reflects compassion for the sinner.

Communication

The missionary task to which you are sent is not the task of a single protagonist. It is the task of the entire church, and as a missionary you have the responsibility to make sure that your church understands that everyone is important in the ministry and that together you can do missions.

Many authors have written about the importance of going out to the mission field with a support team for the area: moral, organizational, economic, prayer, communication, and adaptation for when the missionary returns from the field. This team can involve different members from different ministries. This enriches the team and allows the entire church to be involved and participate in the missionary work. This team will help you from your home country while you are on the field. You should pray for them and strengthen their friendship. You should not only see them as people who must give, but you should also be willing to give yourself for them and show yourself as a friend by strengthening emotional ties with your base team.

Keeping communication at a distance is a little difficult but not impossible. Today we have many tools that make it easier for us to stay in touch with our local church and family. Even so, not all cases are the same, since there are some missionaries who will go to places with closed access, towns where there is no internet, etc. As much as possible, you should try to schedule and have some time to be able to communicate with your sending church, agency, friends, and family. In those cases where there is not easy access to communication, schedule communications periodically when you have access to the internet or some other means of communication. The idea is that you develop and maintain constant communication on your part. "Sometimes missionaries complain that there is not enough spiritual and financial support. But many times, they make the mistake of not communicating faithfully with the sending base. The missionary should be clear about this before leaving for the field.

Joseph Watson, a YWAM missionary, also said, "You have to be willing to communicate with the sending team in some way and do so regularly: emails,

Facebook, phone calls, Skype, etc. The number one rule is to keep in touch. Do not wait until you get home to tell people the full story of how your life has been. Unless your trip is a short mission experience, in which case it will be important to keep the discretion of what happens in the mission; to surprise the church with the testimonies of what happened.

Communication is to surround yourself with people where you are. You can not only receive from the people of your own country. On the contrary, learn to receive from the people around you and from the new friends that God places in your path: missionaries who work in the field with you, even if they are from a different denomination or agency; other Christians who are mature in the faith or church leaders, etc. They can understand more closely what you are experiencing and feeling in difficult times. Never underestimate the people with whom God has surrounded your life. Remember to always reflect God's love with words and deeds.

POINTS:

POINTS:

Points:

POINTS:

DAILY EXPERIENCES

ACTIVITY:	DAY:	DAY:	DAY:	DAY:
EVENING GETTOGETHER				
DAILY Activity				
NIGHTLY Activity				
Daily Evaluation and/or COLLECTIVE Experience				

DAILY EXPERIENCES

ACTIVITY:	DAY:	DAY:	DAY:	DAY:
EVENING GETTOGETHER				
DAILY Activity				
NIGHTLY Activity				
Daily Evaluation and/or COLLECTIVE Experience				

Daily Experiences

ACTIVITY:	DAY:	DAY:	DAY:	DAY:
EVENING GETTOGETHER				
DAILY Activity				
NIGHTLY Activity				
Daily Evaluation and/or COLLECTIVE Experience				

DAILY EXPERIENCES

ACTIVITY:	DAY:	DAY:	DAY:	DAY:
EVENING GETTOGETHER				
DAILY Activity				
NIGHTLY Activity				
Daily Evaluation and/or COLLECTIVE Experience				

DAILY EXPERIENCES

ACTIVITY:	DAY:	DAY:	DAY:	DAY:
EVENING GETTOGETHER				
DAILY Activity				
NIGHTLY Activity				
Daily Evaluation and/or COLLECTIVE Experience				

As part of a missionary group, all members are the responsibility of the organizing leader. The importance of this document is to exempt the leader, ministry and/or the congregation from any unforeseen accident that is beyond the control of the mission.

RELIEF OF RESPONSIBILITY

I, _________________________ hereby release ___________________________ its leaders and the legal entity it represents, from any legal liability in connection with the mission trip described below:

Date: ______________________________.

Place: ____.

I certify that I have signed this release of my own free will and in good standing.

On ______________________, ______________________. Today _____ of _________________of _____.

_____________________ _______________________

Participant Representative

FINAL WORD

A mentor, he influenced the sheep, which he turned into a disciple, showing him the secret of being a servant. His eyes were opened when passion seduced him and blinded by love he began his work as a laborer, not understanding that God was slowly transforming him into a minister. Then one day his mentor ceased to be one, and distressed at the loss, the saddened minister took his place as a new mentor who would in turn influence a new sheep. As you can see this is the endless cycle of ministry. One day you admire your mentor and the next day you become the new mentor. One day you dream about the mission field and the next day you discover this Missionary Guide; then as one who observes a new dawn you know that today is a new opportunity to respond to the missionary call of the God of the High Heavens.

Despite the valuable information provided in this guide, it is only an introduction. Each topic covered needs to be examined and developed further. I invite you to seek out more information through the many different organizations and resources that we have in our partner church community. In particular, the Missionary Agency, Encouragement of the Nations, provides additional resources and training on the topics presented in this guide (www.alientoalasnaciones.com).

It is my prayer that God will use this brief material in some way to motivate His church to preach His word and do His work during the poor. The material in this guide is the result of fifteen (15) years of collaboration between missionaries like the late Rev. Dr. Alexis Santiago Nieves, a friend of many years, and the work of the Dr. Luis Rodriguez Foundation. Interdisciplinary team that has been working for many years to help communities, churches, and entities around the world to minister to the economic, spiritual, and social needs of the poor of the Spirit. When a team full of differences in their points of view, with virtues and defects; defects and virtues try to leave a mark on the nations, the reality of Proverbs 27:17 is understood

"Iron is sharpened with iron, and a man gives his friend courage.

Sacred Scriptures 1569

This is a natural process that confronts the human, but in the end blesses him deeply. At this point, I cannot continue without acknowledging all those collaborators who are an integral part of the FDLR & ASOCS projects and those who are no longer here today. I thank them all because their help was, is, and will be indispensable for the success of each mission.

It is my greatest wish to take this introductory material and once published receive from you, dear reader, your contribution to amplify this work in each new edition.

To contact the author:

P.O. Box 30,000

PMB 358

Canóvanas, P.R., 00729.

Page: www.mision206.org

email: doctorluisrodriguez@gmail.com

About the Author

Luis Rodriguez Torres' ministerial career is extremely broad; he has a secular Doctorate in Philosophy and Letters as well as a Doctor of Divinity with a specialty in Pastoral Care and Family Counseling. He began visiting the mission field in the summer of 1989 and thirty-one years have passed since his first experience. He received credentials as a Licensed Preacher (pastor) from the International Movement of Christian Churches at the age of twenty, although it was not until three years later, that he was installed as pastor in the property of the only congregation he has pastored; El Lirio del Valle, House for the Nations in Loíza, Puerto Rico, serving until the present, as general pastor for the last twenty-three years.

Founder of several philanthropic projects among which stand out: Victor Rios Rojas Scholarship, the Doctor Luis Rodriguez & Associates Foundation and the Contextual Theological University. As part of his missionary achievements he has managed to preach in four of the five inhabited continents of the world; in seventy countries until today among which eleven countries in the old world stand out. Besides impacting lands where the gospel was or is limited until the present like Cuba, Colombia, Nicaragua and even preaching the gospel where it is prohibited like: China, Iran, and North Korea, among others. According to his words, "there is a lot to achieve; Hungary, Australia, Mongolia, Bhutan and more". Listening to his wisdom makes me think that he is an old man captive in a young body full of new and more ambitious projects. This man at 45 years of age still radiates a passion and energy that I have only seen in a few people.

When I ask him what is his greatest achievement? His answer is impossible not to share in this summary of his career...

"I am fully convinced of my greatest achievement in life... And that is, to love the Divine Creator without reservation. To love my

> parents as they loved me or much more, my unconditional brothers and sisters, my energetic nephews, and my friendly sisters-in-law. Without ceasing to love the missionary work I was asked to do and finally; to love my immediate family, in a few words, but with a love without limitations. To love my reason for reaching the unreachable, the motivation to smile again after crying, the motor that drives me to begin, when others thought it was over; Luis Yeniel the greatest responsibility of all; in short, my greatest achievement is to leave deep marks in my own family that decided to take me by the hand in a ministry so sacrificial, but so rewarding at the same time".

I think that the most important thing to highlight in this final line is prayer: so that my friend Luis, continues being a useless servant of the gospel, for the glory of our God.

Joshua Yiron Alves

Rio de Janeiro, Brasil

Text for the Back Cover

As the title indicates, this guide is designed to help you prepare the logistics of most short-term mission trips. Primarily this material was prepared to provide practical help based on the extensive missionary experience of the author, who has traveled to more than seventy nations in the world. It is my fervent prayer that the good use of this study will be a means used by God in your life and ministry to diminish the need for remedies, sadness, and disappointment which occur when men and women enter the world of missions without adequate preparation.

You can use this guide in one of the following ways:

1. If you are seriously considering God's call to the mission field, individual analysis and study will be helpful.

2. Another way in which this guide can be used is as a source of mentoring. In this case, it provides the basis for the individual or group training and education sections.

3. This brief study guide could also be used for a class composed of several candidates who are seriously considering responding to a missionary vocation. In this format, the teacher could teach the material in this publication and use it to generate good discussions. This type of preparation could be of great value to any missionary with or without experience.

In whatever way this guide is used, it will be of great help in determining your preparation for the call to go and make disciples. It will be useful in discovering problems that may already exist and will provide you with solutions to resolve those situations. Taking this study seriously could be the basis for building a missionary ministry that is not only effective, but that will also be long-lasting.

Accompany the author through these pages and stop waiting for a call that was already made to you by obeying the order to go into all the world and preach the gospel to every creature by giving by grace what you have received.

Made in the USA
Monee, IL
21 August 2020